神奇校车

在人体中游览

[美]乔安娜·柯尔 文　　[美]布鲁斯·迪根 图　　蒲公英童书馆 译

贵 州 出 版 集 团
贵州人民出版社

衷心感谢约翰·霍普金斯大学医学院儿童发育部主任、儿科教授阿诺·J·开普特博士为本书编写提供的热情帮助。

图书在版编目（CIP）数据

在人体中游览 /（美）柯尔著 ；（美）迪根绘 ：蒲公英童书馆译.
— 贵阳：贵州人民出版社，2010.12
（神奇校车·第1辑） ISBN 978-7-221-09191-8
Ⅰ．①在… Ⅱ．①柯… ②迪… ③蒲… Ⅲ．①人体—儿童读物 Ⅳ．①R32-49

中国版本图书馆CIP数据核字(2010)第222186号

神奇校车·图画版③

在人体中游览

文 /［美］乔安娜·柯尔

图 /［美］布鲁斯·迪根

译 / 蒲公英童书馆

策划 / 远流经典 执行策划 / 颜小鹏

责任编辑 / 苏 桦 张丽娜 静 博

美术编辑 / 曾 念 王 晓 陈田田

责任校译 / 汪晓英 责任印制 / 孙德恒

出版发行 / 贵州出版集团 贵州人民出版社

地址 / 贵阳市中华北路289号 电话 / 010-85805785（编辑部）

印刷 / 北京国彩印刷有限公司（010-69599001）

版次 / 2011年1月第一版 印次 / 2014年2月第九次印刷

成品尺寸 / 252mm×212mm 印张 / 2.5 定价 / 12.00元

蒲公英童书馆官方微博 / weibo.com/poogoyo

蒲公英童书馆 / www.poogoyo.com

蒲公英检索号 / 110011103

献给克雷
——乔安娜和布鲁斯

奇妙的身体

5

我们的身体是由细胞组成的

——瑞秋的笔记

★ 人的身体看起来是一个整体，其实是由亿万个微小的细胞所组成。

我的身体是由亿万个细胞组成的。

我的也是。

果然，第二天，卷毛老师就给我们布置了任务：做一个跟自己身体有关的实验。

观察自己身上的细胞

细胞大多数都很小，得透过显微镜才能看清楚。

① 用棉棒轻轻在口腔内侧刮几下。

② 把刮过的那一头放在玻璃片上的水滴中搅拌一下。

③ 加一滴碘溶液，给细胞染上颜色。

④ 把玻璃片放在显微镜下，你就可以观察自己的细胞了。

哇，长得真奇怪啊！

zuò wán shí yàn　juǎn máo lǎo shī xuān bù yào dài wǒ men qù cān guān
做完实验，卷毛老师宣布要带我们去参观

kē xué bó wù guǎn　nà lǐ zhèng zài jǔ bàn　shēn tǐ rú hé bǎ shí wù
科学博物馆，那里正在举办"身体如何把食物

zhuǎn huà chéng néng liàng　de zhǎn lǎn
转化成能量"的展览。

bù tóng de xì bāo yǒu bù tóng de gōng néng
不同的细胞有不同的功能

gé léi de bǐ jì
——格雷的笔记

fèi xì bāo bāng
肺细胞帮

zhù nǐ hū xī
助你呼吸

jī ròu xì bāo bāng
肌肉细胞帮

zhù nǐ yùn dòng
助你运动

xì bāo huò qǔ le néng liàng　nǐ cái néng zhǎng gè ér
细胞获取了能量，你才能长个儿、

yùn dòng　shuō huà　sī kǎo hé wán shuǎ
运动、说话、思考和玩耍。

nǎo xì bāo bāng zhù
脑细胞帮助

nǐ sī kǎo
你思考

zhī shàng juǎn máo lǎo shī de kè
只上卷毛老师的课，

jiù bǎ wǒ de néng liàng yòng wán le
就把我的能量用完了。

你的嘴里有数千个味蕾

——阿诺的笔记

★ wèi lěi jiù shì wèi jué gǎn shòu qì
味蕾就是味觉感受器。嘴
lǐ bù tóng bù wèi de wèi lěi néng gòu fēn
里不同部位的味蕾，能够分
biàn chū bù tóng de wèi dào
辨出不同的味道。

★ zuì xīn de yán jiū xiǎn shì wèi lěi de
最新的研究显示，味蕾的
fēn bù rú xià
分布如下：

kǔ
苦

suān
酸

xián
咸

tián
甜

★ zhī dào ma shé tóu de zhōng jiān shì méi
知道吗？舌头的中间是没
yǒu wèi lěi de
有味蕾的！

zhè cì wài chū gēn yǐ wǎng dōu yī yàng wǒ men hái shì zuò
这次外出跟以往都一样，我们还是坐
zhe nà liàng lǎo xiào chē qù cān guān kē xué bó wù guǎn
着那辆老校车去参观科学博物馆。

xiào chē lí kāi xué xiào bù jiǔ jiù guǎi jìn le yī gè gōng
校车离开学校不久，就拐进了一个公
yuán juǎn máo lǎo shī shuō wǒ men jiāng zài zhè lǐ chī wǔ cān
园，卷毛老师说我们将在这里吃午餐。

zuó tiān de shèng yú pái
昨天的剩鱼排？
zhēn méi wèi kǒu
真没胃口！

zán men lái gè jiāo yì ba měi wèi kě
咱们来个交易吧！美味可
kǒu de yú pái huàn nǐ nà nián hū hū
口的鱼排，换你那黏乎乎
de huā shēng jiàng xiāng jiāo sān míng zhì
的花生酱香蕉三明治。

méi mén ér
没门儿！

kuài kàn tā nà shuāng xié
快看她那双鞋。

qiú nǐ le
求你了！
wǒ zài chī dōng xī
我在吃东西！

8

吃完饭，该出发了，我们又回到了校车上。

只有阿诺还坐在餐桌旁，一边做白日梦，一边吃奶酪饼干。

吃下东西后，你的身体就会开始消化食物。这样，你的细胞就可以用这些食物来制造能量了。

身体需要有营养的食物

——卡门的笔记

★ 要想精力充沛、健康成长，就要多吃：

麦片　糙米

五谷杂粮

新鲜水果·蔬菜

★ 也要吃一些：

酸奶

鲜奶和各种奶制品

肉、蛋、鱼和油

★ 尽量少吃垃圾食品！

名词解释

——多罗茜的笔记

★ 消化的本来意思就是分解。食物被消化，也就是被分解得越来越小。

"阿诺，快点！"卷毛
老师朝着他喊了一声。我们
以为要出发了，但她没发动
校车，而是按下了一个奇怪
的小按钮。

立刻，校车就开始不断
缩小、缩小……还飞了起来。

车里的我们不知道
发生了什么事，只觉得
校车又着陆了。

阿诺在那儿
吃上瘾了？

居然噎了一下！咦，
校车哪儿去了？

奶酪饼干

接下来，校车便沿着一条黑暗的隧道行驶。这是哪儿啊？大家都不知道。当然，卷毛老师肯定知道，有哪一次是她不清楚的呢？

果然，卷毛老师说我们正在一个人的身体里面！校车这会儿就是沿着他的食道往下走呢！她还告诉我们，食道一直从嘴通到胃。

大家都在为阿诺掉队着急呢，没太注意卷毛老师在说什么。

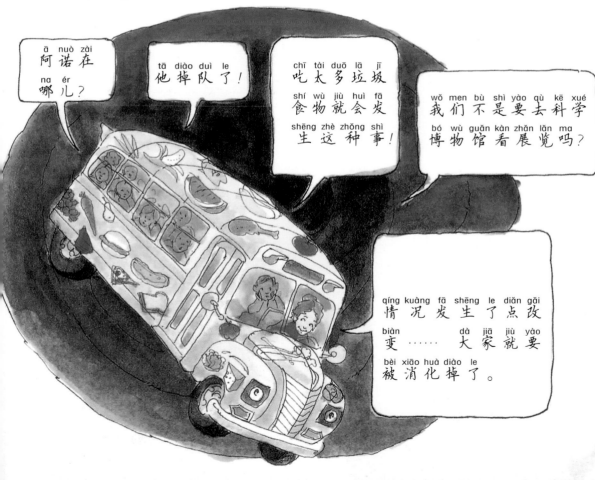

阿诺在哪儿？

他掉队了！

吃太多垃圾食物就会发生这种事！

我们不是要去科学博物馆看展览吗？

情况发生了点改变……大家就要被消化掉了。

食物从食道进入胃里

——旺达的笔记

★ 食物是不会直接掉进胃里的，而是靠食道的肌肉挤压、推动进入胃里，就像从牙膏管挤牙膏一样。所以，即使你倒立着，也一样可以吃东西。

肌肉一点一点地把食物挤进胃里

11

肚子为什么会叫呢？

——菲儿的笔记

★胃里没有什么食物时，也会蠕动。这时，胃里的气体被挤捏揉压，东跑西窜，发出咕咕的声响。

过了一会儿，卷毛老师说："我们已经进入胃了。"

胃里可真不安静啊。胃壁里里外外都在蠕动，不断地压碎食物，并把它们搅拌成黏稠的液体。

校车也随着食物翻来覆去。消化液还不断地喷到车窗上。

现在，我们算是知道汉堡的下场了！

胃就像人体内的研磨搅拌机。

翁……

同学们，快把车窗关上！

太恶心了！

xiǎo cháng wèi shén me shì wān wān rào rào
小肠为什么是弯弯绕绕
de
的？

yuē hàn de bǐ jì
——约翰的笔记

yī gè chéng rén de xiǎo cháng zú zú
★一个成人的小肠足足
yǒu　　mǐ cháng rú guǒ tā shì zhí
有7.5米长。如果它是直
de rén jiù dé zhǎng dào liǎng sān céng lóu
的，人就得长到两三层楼
gāo cái néng zhuāng dé xià tā
高才能装得下它。

wèi
胃

shí wù tōng guò wèi
食物通过胃
dào dá xiǎo cháng
到达小肠

fèi wù tōng guò dà
废物通过大
cháng pái chū tǐ wài
肠排出体外

xiǎo cháng shì yī gēn juǎn qū pán rào de kōng xīn guǎn zǐ　　　tā de nèi
小肠是一根卷曲盘绕的空心管子。它的内
bì shàng zhǎng mǎn xiǎo cháng róng máo　xiǎo cháng róng máo jiù xiàng jí xiǎo jí xiǎo de
壁上长满小肠绒毛，小肠绒毛就像极小极小的
shǒu zhǐ
手指。

juǎn máo lǎo shī shuō　　　róng máo lǐ yǒu xǔ duō máo xì xuè guǎn
卷毛老师说："绒毛里有许多毛细血管，
shí wù de yǎng fēn huì bèi xī shōu dào zhè xiē xuè guǎn lǐ　　　gēn zhe xuè yè
食物的养分会被吸收到这些血管里，跟着血液
liú wǎng shēn tǐ de gè gè bù wèi
流往身体的各个部位。"

wǒ men gǎn dào zì jǐ yòu suō xiǎo le yī diǎn　　　zhè shí　　juǎn máo
我们感到自己又缩小了一点。这时，卷毛
lǎo shī yǐ bǎ xiào chē jìng zhí shǐ xiàng yī gēn róng máo
老师已把校车径直驶向一根绒毛。

ā　　tā yào bǎ xiào chē kāi dào xuè guǎn lǐ qù
啊，她要把校车开到血管里去！

xuè yè yóu shén me zǔ chéng
血液由什么组成？
mò lì de bǐ jì
——莫莉的笔记

xuè yè zhōng de shì huáng sè
★血液中的55%是黄色
de bàn tòu míng yè tǐ wǒ men chēng
的半透明液体，我们称
wèi xuè jiāng qí yú de bù fēn shì
为"血浆"。其余的部分是
hóng xì bāo bái xì bāo hé xuè xiǎo
红细胞、白细胞和血小
bǎn
板。

血浆
血细胞

wú shù gè xuè xì bāo
无数个血细胞

wèi shén me xuè yè shì hóng sè de
为什么血液是红色的？
xuě lì de bǐ jì
——雪莉的笔记

rú guǒ bù tōng guò xiǎn wēi jìng zhí
★如果不通过显微镜，直
jiē yòng ròu yǎn kàn xuè yè shì hóng
接用肉眼看，血液是红
sè de yīn wèi lǐ miàn yǒu dà liàng
色的，因为里面有大量
de hóng xì bāo
的红细胞。
yī dī xuè lǐ miàn yǒu shù yǐ bǎi
★一滴血里面，有数以百
wàn jì de hóng xì bāo
万计的红细胞。

wǒ men zài xuè guǎn lǐ kàn dào de xuè yè bìng bù shì hóng sè de
我们在血管里看到的血液并不是红色的。
xuè yè bù zhǐ shì dān chún de hóng sè yè tǐ juǎn máo lǎo shī jiě
"血液不只是单纯的红色液体。"卷毛老师解
shì shuō tā lǐ miàn qí shí hán yǒu xǔ duō chéng fēn
释说，"它里面其实含有许多成分。"
zhè xiē xì bāo kàn qǐ lái hǎo xiàng hóng sè de xiàng jiāo pán zǐ yǒu
"这些细胞看起来好像红色的橡胶盘子！"有
rén shuō
人说。
nà xiē jiù shì hóng xì bāo juǎn máo lǎo shī jiē zhe shuō hóng
"那些就是红细胞。"卷毛老师接着说，"红
xì bāo fù zé bǎ yǎng qì cóng fèi yùn sòng dào quán shēn
细胞负责把氧气从肺运送到全身。"

kàn dào nà gè le ma
看到那个了吗？

hóng xì bāo xié dài yǎng qì
红细胞携带氧气

shí wù fēn zǐ
食物分子

白细胞

我们还看见到处都有白细胞在忙着消灭病菌。

卷毛老师告诉我们："白细胞就像人体内的卫兵，保护我们的身体，免受敌人的侵害。"

血液的功能！
——拉尔夫的笔记
★血液就是一套运输系统，负责给全身的细胞运送氧气和养分，同时带走废物。

白细胞把病菌吃掉了！

真恶心啊！

血小板
（如果你受了伤，它会帮助你止血）

食物

拉尔夫货运

病菌

杀死病菌

17

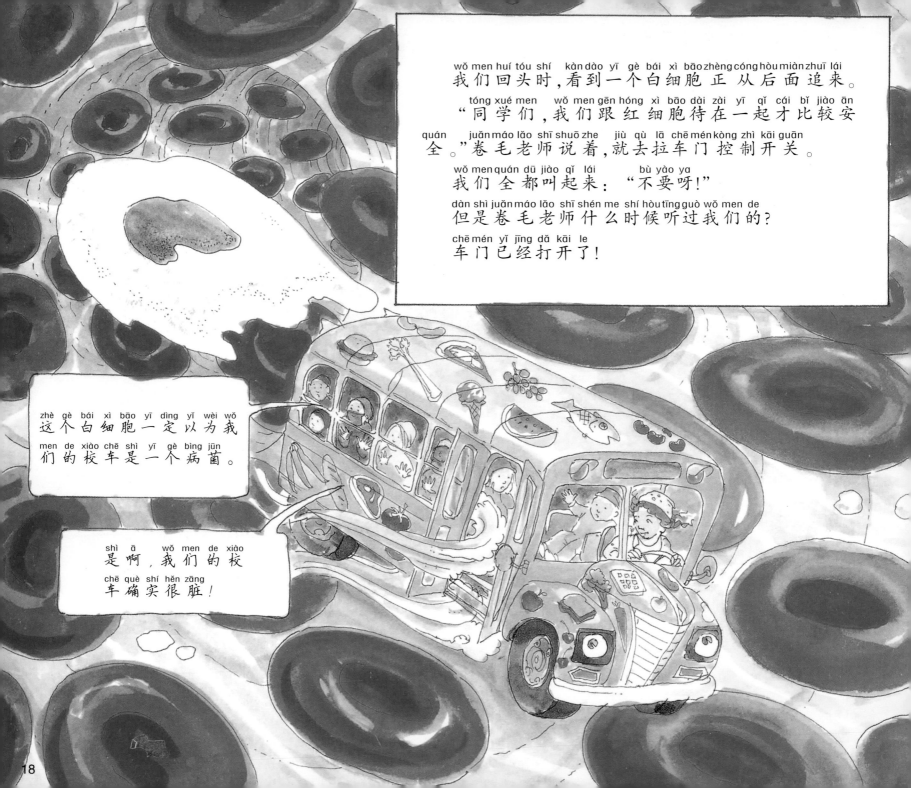

我们回头时，看到一个白细胞正从后面追来。

"同学们，我们跟红细胞待在一起才比较安全。"卷毛老师说着，就去拉车门控制开关。

我们全都叫起来："不要呀！"

但是卷毛老师什么时候听过我们的？

车门已经打开了！

这个白细胞一定以为我们的校车是一个病菌。

是啊，我们的校车确实很脏！

我们全都被冲进了血液里。

卷毛老师喊了一句"大家快搭便车！"，就抓住了一个从她身旁漂过的红细胞。我们也都赶紧学她的样子，抓住一个红细胞。

我们最后看见校车的时候，它正拐入另一条血管，那个白细胞依然在它后面紧追不舍！

为什么我们不能像别的班一样，做做拼写测验就行？

这时……

天哪！我迷路了！

别慌！别怕！

我们再也不可能出去了。

这些红细胞已经变成暗红色了——它们现在需要更多的氧气。

19

你的心脏就是一个"水泵"！
——弗洛丽的笔记

★ 心脏的内壁收缩，把血液挤出去。这就像我们把水从一个塑料瓶中挤出去一样。

哈！

哎呀！

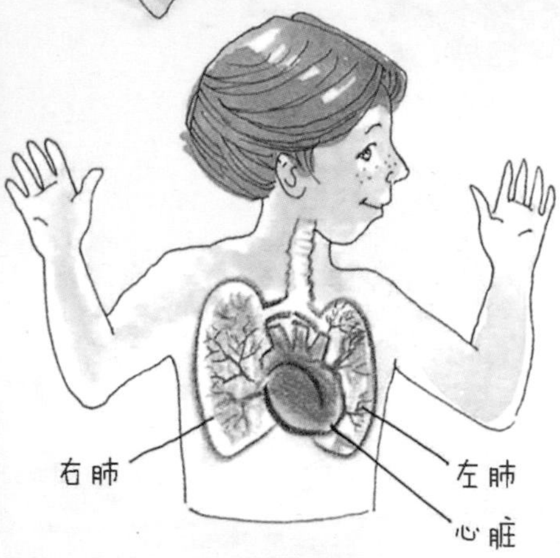

心脏把用过的血液压入肺里，以获取新鲜的氧气

右肺

左肺

心脏

右肺

右肺

不知不觉，我们已经随着血液流到了心脏。

"心脏里面有四个空的'房间'，也就是心腔。"卷毛老师说，"每个心腔都是一个小水泵。"

心脏右边的两个心腔，负责抽回身体用过的血液，再把它们压到肺部去。

通往右肺

右心房

右心室

用过的血（来自身上）

用过的血（来自身下）

弗瑞丝老师，
你发发善心，
带我们出去吧！

血液在不停地循环！
——麦克的笔记
★ 在不到一分钟的时间里，血液在人体内流了一圈。这就叫血液循环。

再来一个名词
——多罗茜的笔记
★ 循环的意思是转圈。血液循环就是血液在人体内转圈。

接着，红细胞又把我们从肺带回了心脏。不过，我们这一次进入了心脏的左侧。这一侧负责把新鲜血液压回身体。

"同学们，看来这些红细胞要去大脑了。"卷毛老师对我们说。

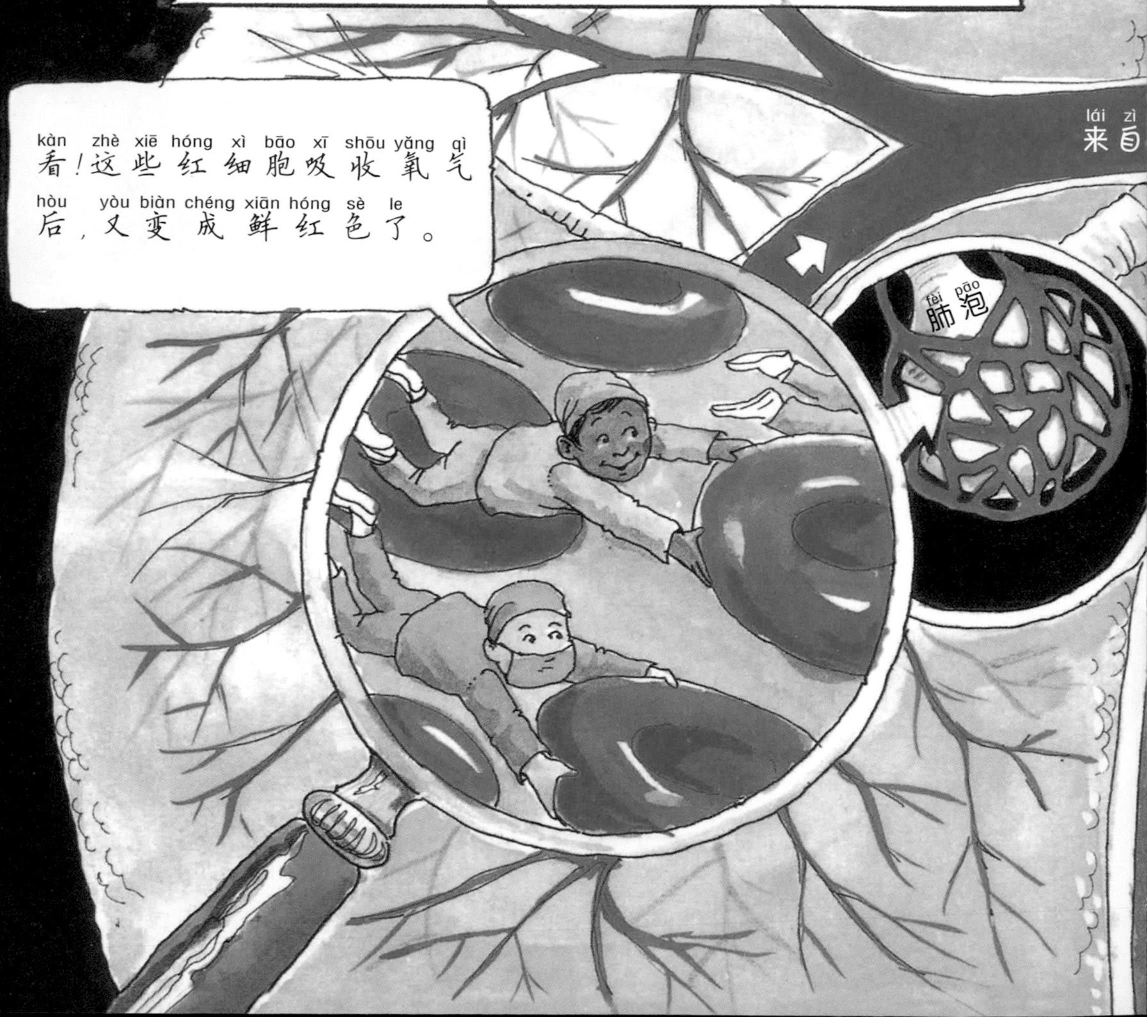

看！这些红细胞吸收氧气后，又变成鲜红色了。

来自

肺泡

dà nǎo yī kè bù tíng dì gōng zuò zhe
大脑一刻不停地工作着！
——阿历克斯的笔记
jí shǐ zài nǐ shuì jiào de shí hòu dà
★即使在你睡觉的时候，大
nǎo yě zài kòng zhì zhe nǐ de xīn tiào
脑也在控制着你的心跳、
hū xī hé qí tā yī xiē shēn tǐ jī
呼吸和其他一些身体机
néng
能。

你睡了，大脑
hái zài gōng zuò
还在工作！

líng chén sān diǎn
凌晨三点

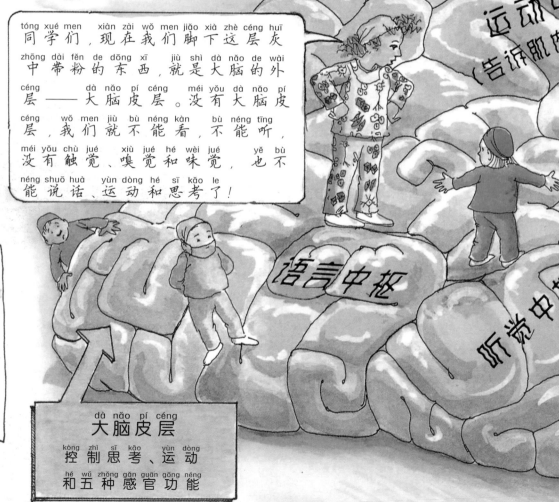

wǒ men dào dá dà nǎo hòu jiù fàng zǒu le hóng xì bāo
我们到达大脑后，就放走了红细胞。
wǒ men cóng xuè guǎn lǐ zuàn le chū qù
我们从血管里钻了出去。
zhēn bù gǎn xiāng xìn zhè yī tuán huī pū pū zhòu bā bā
真不敢相信，这一团灰扑扑、皱巴巴
de dōng xī jiù shì zhěng gè shēn tǐ de kòng zhì zhōng xīn
的东西，就是整个身体的控制中心。

tóng xué men xiàn zài wǒ men jiǎo xià zhè céng huī
同学们，现在我们脚下这层灰
zhōng dài fěn de dōng xī jiù shì dà nǎo de wài
中带粉的东西，就是大脑的外
céng dà nǎo pí céng méi yǒu dà nǎo pí
层——大脑皮层。没有大脑皮
céng wǒ men jiù bù néng kàn bù néng tīng
层，我们就不能看，不能听，
méi yǒu chù jué xiù jué hé wèi jué yě bù
没有触觉、嗅觉和味觉，也不
néng shuō huà yùn dòng hé sī kǎo le
能说话、运动和思考了！

运动中
(告诉那些...

语言中枢

听觉中枢

dà nǎo pí céng
大脑皮层
kòng zhì sī kǎo yùn dòng
控制思考、运动
hé wǔ zhǒng gǎn guān gōng néng
和五种感官功能

rú guǒ nǐ xiǎng huó dòng yī xià jī ròu
如果你想活动一下肌肉

ā màn dá de bǐ jì
——阿曼达的笔记

dà nǎo pí céng shàng de yùn dòng zhōng
★大脑皮层上的运动中

shū fā chū "yùn dòng" de xìn hào xìn hào
枢发出"运动"的信号，信号

jìn rù jǐ suǐ jǐ suǐ zài chuán gěi kòng
进入脊髓，脊髓再传给控

zhì jī ròu de shén jīng zhè yàng jī ròu
制肌肉的神经。这样，肌肉

jiù zhī dào gāi yùn dòng le
就知道该运动了。

lí kāi le tóu bù wǒ men yán zhe jǐ zhuī gú wǎng xià pá
离开了头部，我们沿着脊椎骨往下爬。

jǐ zhuī gú de lǐ miàn shì jǐ suǐ jǐ suǐ shì yóu shén jīng xì bāo
脊椎骨的里面是脊髓。脊髓是由神经细胞

jù jí ér chéng de yī tiáo cū cū de shén jīng shù zhè xiē shén jīng xì bāo
聚集而成的一条粗粗的神经束。这些神经细胞

dōu shì dà nǎo yán shēn xià lái de
都是大脑延伸下来的。

jǐ suǐ de liǎng cè shēn chū xǔ duō jiào xì de shén jīng shù tā men
脊髓的两侧伸出许多较细的神经束，它们

bǎ shén jīng xìn hào dài dào le shēn tǐ de měi gè jiǎo luò
把神经信号带到了身体的每个角落。

jǐ suǐ bǎ dà nǎo hé shēn tǐ gè
脊髓把大脑和身体各

chù de shén jīng lián xì qǐ lái
处的神经联系起来。

bié cháo xià
别朝下

运动中枢

ā hǎo yǎng yǎng
啊！好痒痒！

jǐ suǐ
脊髓

jǐ suǐ
脊髓

wǒ jǐn zhāng dé kuài fā shén jīng le
我紧张得快发神经了！

shén jīng
神经

shén jīng shù
神经束

jī ròu
肌肉

我们钻进了旁边的一条血管中，这里的血液流得非常快，大家好担心会被冲散。

正在这时，我们亲爱的老校车出现了！

真是太及时了！大家松了一口气，赶紧上车，顺着来路，经过了心脏、肺……

同学们，我们接下来就要离开这个身体了。

哇，轻松了，我们就要回去了。

一看到这些血细胞，我就轻松不起来。

过了一会儿，我们从血管里钻了出来，来到了一片空地上。

有人问："这是什么地方？"

"这里是鼻腔。"卷毛老师告诉我们。

"什么？"我们问。

卷毛老师解释说："就是鼻子的里面。"

突然，我们听到震耳欲聋的声音，听起来像是"阿——阿——阿——阿"的声音。

shì shén me shǐ nǐ dǎ pēn tì
是什么使你打喷嚏?
　　　　　fēi bǐ de bǐ jì
　　　　——菲比的笔记

rú guǒ yǒu dōng xi pǎo jìn nǐ de bí
★如果有东西跑进你的鼻
zi lǐ nǐ huì jiào dé yǎng yǎng de dà
子里,你会觉得痒痒的。大
nǎo jiē shōu dào yǎng zhè gè xìn hào huì
脑接收到痒这个信号,会
zhǐ shì nǐ shēn xī yī kǒu qì zhè shí nǐ
指示你深吸一口气(这时你
huì shuō ā jiē zhe dà nǎo huì
会说"阿")。接着,大脑会
mìng lìng xiōng bù de jī ròu jǐ yā nǐ de
命令胸部的肌肉挤压你的
fèi yú shì kōng qì biàn cóng bí qiāng
肺。于是,空气便从鼻腔
chōng le chū qù zhè gè sù dù kě dá
冲了出去,这个速度可达
měi xiǎo shí qiān mǐ zhè shí nǐ dà
每小时160千米(这时你大
jiào yī shēng tì
叫一声"嚏")!

yī gè pēn tì jiù zhè me wán chéng le
一个喷嚏就这么完成了。

jiē zhe wǒ men tīng dào
接着,我们听到
yī shēng dà dà de tì
一声大大的"嚏"。

tīng dào le ba zhè shì yī shēng pēn tì
听到了吧,这是一声喷嚏。

zhǐ yào yǒu dōng xi pǎo dào bí qiāng lǐ
只要有东西跑到鼻腔里,
zài xiǎo de zāng dōng xi huī chén huò xì
再小的脏东西、灰尘或细
jūn dōu huì ràng rén dǎ pēn tì
菌,都会让人打喷嚏。

xiàn zài kě shì pǎo jìn le
现在可是跑进了
yī liàng xiào chē é
一辆校车哦!

30

一股强大的气流撞击着校车。
校车翻滚着飞了出去……

同学们，做好准备，我们就要着陆了。在校车没有停稳之前，不许离开座位。

她说的是真的吗？

阿——阿——阿——阿——嚏！

长命百岁！

wǒ men shí zài shì fēi dé tài kuài le　shén me dōu kàn bù qīng
我们实在是飞得太快了，什么都看不清。

bù guò　wǒ men néng gǎn jué dào zì jǐ zhèng zài biàn dà
不过，我们能感觉到自己正在变大。

rán hòu　pēng de yī shēng　xiào chē zhuó lù le
然后，砰的一声，校车着陆了！

wǒ men zhēn de huí dào le xué xiào
我们真的回到了学校！

xiào chē jiù tíng zài tíng chē chǎng　ā nuò zhèng zài nà ér shǐ jìn xǐng
校车就停在停车场。阿诺正在那儿使劲擤

bí tì ne
鼻涕呢。

wǒ men huí lái le
我们回来了！

kàn　ā nuò zài nà ér
看！阿诺在那儿！

32

ā nuò   wǒ men dà jiào   zhè cì de cān guān tài bù kě sī yì le   nǐ méi qù   zhēn yí hàn
"阿诺!"我们大叫，"这次的参观太不可思议了,你没去,真遗憾!"

nǐ men dào nǎ ér qù le ?   nǐ dào nǎ ér qù le ?
你们到哪儿去了?   你到哪儿去了?

huí dào jiào shì　xiàng wǎng cháng yī yàng　hái
回到教室，像往常一样，还
yǒu gōng kè děng zhe wǒ men
有功课等着我们。
juǎn máo lǎo shī ràng wǒ men huà yī fú rén tǐ
卷毛老师让我们画一幅人体
jié gòu tú　 tiē zài bù gào lán shàng
结构图，贴在布告栏上。

shèn zāng
肾脏
qīng jié xuè yè　zhì zào niào yè
清洁血液，制造尿液。
bǎng guāng
膀胱
chǔ cún niào yè
储存尿液。

肾脏
膀胱

gān zàng
肝脏
chǔ cún wéi shēng sù hé qīng chú
储存维生素和清除
gǔ sù　 tóng shí zhì zào dǎn
毒素，同时制造胆
zhī　 dǎn zhī shì yī zhǒng xiāo
汁。胆汁是一种消
huà yè　 kě yǐ bāng zhù xiāo
化液，可以帮助消
huà zhī fáng
化脂肪。

肝脏
胆囊

shén jīng
神经

gǔ gé
骨骼

xuè guǎn
血管

jī ròu
肌肉

34

判断题

说明：读一读下面的句子，它们说得对吗？做完题目之后，可以和后边的答案对照一下。

停！来做一个测试！

先别看电视……

也别吃零食……

更别玩游戏……

一定先做完这个测试！

问题：

1. 小孩可以坐着校车进入人体旅行。对吗？

2. 博物馆很无聊。对吗？

3. 阿诺不应该自己想办法回学校。对吗？

4. 如果周围都是液体，比如说血液，小孩是无法讲话和呼吸的。对吗？

5. 假如小孩真的变成细胞那么大，不用显微镜我们就看不到他们。对吗？

6. 白细胞确实会追逐并吞噬病菌。对吗？

7. 卷毛老师一直都知道阿诺在哪儿。对吗？

答案：

1. 错！现实生活里是不可能发生这种事的（即使是阿诺也不可能）。

   不过在这本书里，作者特意虚构了这种离奇的情节，否则，你们就看不到在人体里的旅行了，只能是参观博物馆。

2. 错！博物馆是很好玩、很有意思的，肯定不像在人体中旅行那样古怪又恶心。

3. 对！真实生活中，更安全的办法是找警察帮忙。

4. 对！如果小孩真的到了血管里，会淹死的，不可能呼吸和说话。

5. 对！书中的细胞和小孩都放大了很多倍。

6. 对！看起来很不可思议吧？但白细胞的行为确实和这本书上描述的一样，它们甚至可能穿过血管壁，追捕身体组织和器官里的病菌。

7. 可能对。没有人能百分之百确定，但大多数人都觉得弗瑞丝老师无所不知。